C000021067

Franz Specht

Sicher ist nur eins
Carsten Tsara blickt nicht durch

Deutsch als Fremdsprache
Leseheft
Niveaustufe A2

Hueber Verlag

Aufgaben zum Text: Anja Schümann, München
Fotos: Franz Specht, Weßling
Zeichnungen: Gisela Specht, Weßling

Das Werk und seine Teile sind urheberrechtlich geschützt.
Jede Verwertung in anderen als den gesetzlich zugelassenen
Fällen bedarf deshalb der vorherigen schriftlichen
Einwilligung des Verlags.

Hinweis zu § 52a UrhG: Weder das Werk noch seine Teile dürfen
ohne eine solche Einwilligung überspielt, gespeichert und in ein
Netzwerk eingespielt werden. Dies gilt auch für Intranets von
Firmen und von Schulen und sonstigen Bildungseinrichtungen.

| 7. 6. 5. | Die letzten Ziffern bezeichnen |
| 2012 11 10 09 08 | Zahl und Jahr des Druckes. |

Alle Drucke dieser Auflage können, da unverändert,
nebeneinander benutzt werden.
1. Auflage
© 2002 Hueber Verlag, 85737 Ismaning, Deutschland
Titelfoto Gettyimages-creative, München
Layout, Satz und Herstellung: Kerstin Rieger, Hueber Verlag, Ismaning
Druck und Bindung: Himmer AG, Augsburg
Printed in Germany
ISBN 978-3-19-001669-3

1

Frau Müller sitzt an ihrem Schreibtisch. Sie ist ungeduldig.

„Tsara! Wo bleiben Sie so lange? Ich warte schon seit einer halben Stunde auf Sie! Sie sind nicht nur mein bester Mitarbeiter, sondern auch mein unpünktlichster." 5

„Tut mir leid. Heute Morgen ist besonders viel Verkehr. Überall sind Baustellen. Man kommt von einem Stau in den nächsten."

„Ach was! In einer Großstadt wie München ist immer viel Verkehr. Nehmen Sie die U-Bahn! Die ist umwelt- 10 freundlich und schneller. Ich fahre nie Auto!"

„Haben Sie überhaupt einen Führerschein?"

„Frechheit! Natürlich! Aber lassen wir das jetzt. Ich habe einen dringenden Auftrag für Sie. Kennen Sie TECSUP?"

„Diese High-Tech-Firma in der Nähe des Ostbahnhofs?" 15

„Richtig!"

„Ein hässliches Gebäude! Viel zu viel Beton und viel zu wenig ..."

Verena Müller schlägt mit der Hand auf den Tisch.

„Sie gehen sofort hin und melden sich bei Walter 20 Dessauer. Das ist ein guter Freund von mir. Er arbeitet bei TECSUP und hat ein Problem. Helfen Sie ihm!"

„Um was geht es denn?"

Verena Müller zuckt mit den Schultern.

„Wichtige Dokumente sind weg. Mehr weiß ich auch 25 nicht."

„Eine Frage noch."

„Ja?"

„Warum sehen die meisten Frauen eigentlich besser aus, wenn sie wütend sind?" Einen Augenblick überlegt Verena Müller, ob sie Carsten Tsara jetzt anschreien soll. Dann lacht sie.

„Na, das müssen Sie schon selbst herausfinden, mein Lieber. Sie sind doch Detektiv, oder? Und jetzt an die Arbeit! Hopp, hopp, hopp!"

2

Der Wachmann am Eingang legt den Telefonhörer auf.

„Bitte warten Sie einen Augenblick. Herr Dessauer holt Sie gleich ab."

Carsten Tsara nickt. Er sieht sich um. Ein hoher Metallzaun schützt TECSUP vor unwillkommenen Besuchern. Überall sind Videokameras. Nicht mal eine Maus kann hier unbemerkt hinein oder heraus.

Nach einigen Minuten kommt ein Mann auf ihn zu. Er ist etwa 50 Jahre alt. Seine Haare sind grau. Er trägt einen dunklen Anzug und eine Brille mit dicken Gläsern.

Er sieht blass und nervös aus.

„Guten Tag! Sie sind Herr ...?"

„Tsara. Carsten Tsara. Von der Detektei Verena Müller."

Die beiden Männer geben sich die Hand.

„Gut, dass Sie da sind! Ich bin Walter Dessauer. Kommen Sie bitte gleich mit, Herr ... äh ... äh ..."

„Tsara!"

„Richtig! Hier entlang, bitte!"

Ein Aufzug bringt die beiden Männer in die oberste Etage. Auf der einen Seite des Flurs ist eine große Glastür. Darauf steht: ‚Geschäftsführung – Dr. A. Reichenbach'. Auf der gegenüberliegenden Seite ist eine kleinere Tür mit der Aufschrift: ‚Technische Dokumentation – W. Dessauer'. Walter Dessauer holt eine Chipkarte aus seiner Jackentasche und steckt sie in einen Schlitz an der Wand. Die Tür öffnet sich leise.

„Bitte nach Ihnen!"

Das Büro ist ziemlich klein. Auf der einen Seite steht ein Schreibtisch, auf der anderen ein einfacher Tisch mit vier Stühlen.

„Was bedeutet ‚Technische Dokumentation'?", will Carsten Tsara wissen.

„TECSUP ist einer der größten Hersteller von Spezialmaschinen für die Großindustrie." Walter Dessauers Stimme klingt ein bisschen stolz. „Wir verkaufen unsere Produkte in die ganze Welt. Zurzeit liegt unser Umsatz bei über einer Milliarde Euro pro Jahr. Die Pläne für unsere Maschinen und für die dazugehörende Software sind natürlich *top secret*. Sie lagern alle hier." Wieder holt Dessauer die Chipkarte aus seiner Tasche und steckt sie in einen Schlitz an der Wand. Eine schwere Metalltür öffnet sich langsam. Dahinter ist ein großer Raum ohne Fenster. Die Wände sind aus Stahl. In Regalen lagern

Computer-Disketten, CD-ROMs, Aktenstapel und Konstruktionspläne.

„Hier sind unsere Pläne absolut sicher vor Wasser, Feuer und Spionen!"

5 „Scheinbar nicht sicher genug", sagt Carsten Tsara.

„Wie bitte?"

„Wozu brauchen Sie sonst meine Hilfe?"

„Hilfe?", fragt eine sympathische Frauenstimme.

Dessauer erschrickt. Die beiden Männer drehen sich um.

3

10 „Wer braucht Hilfe?" Eine schlanke, blonde Frau steht im Büro. Sie ist etwa 25 Jahre alt und sieht attraktiv aus, findet Carsten Tsara.

„Ach, Frau Bremke!", sagt Walter Dessauer nervös. „Darf ich vorstellen? Das ist Herr ... äh ... Herr ..."

15 „Carsten Tsara. Tag, Frau Bremke!" Der Detektiv und die junge Frau geben sich die Hand.

„Herr Tsara ist ... äh ... kommt ... äh ..."

„... von der Firma Müller. Ich überprüfe die Sicherheit dieses Tresors."

20 „Ach, tatsächlich?" Frau Bremke ist erstaunt. „Weiß denn der Chef davon?" Dessauers Hände zittern ein bisschen. Carsten Tsaras Stimme ist ruhig.

„Ja, natürlich! Dr. Reichenbach hat uns persönlich beauftragt!"

25 „Genau!", sagt Walter Dessauer.

„Ach so? Na, dann will ich nicht weiter stören."

„Sie gehen schon wieder? Wie schade!", sagt Carsten Tsara und lächelt. Die junge Frau lächelt zurück.

„Tja, ich habe viel zu tun. So wie Sie auch, oder?"
„Im Moment ja. Aber heute Abend hab ich noch nichts vor."
„Ich schon. Ich gehe zum Boxen."
„Zum Boxen? Wie interessant! Darf ich mitkommen?" 5
„Das ist keine gute Idee. Mein Freund ist nämlich sehr eifersüchtig."
„Sie brauchen es ihm ja nicht zu sagen."
„Er kriegt es trotzdem mit. Er ist einer der Boxer. Tschüs dann!" 10

4

„Was ist denn nun eigentlich los?", fragt Carsten Tsara und setzt sich. Er beobachtet Walter Dessauers Hände. Sie zittern.
„Gestern Vormittag holt Herr Langbein, einer unserer Ingenieure, eine Akte bei mir ab. Das Dokument ist 15 streng geheim und sehr wertvoll."
„Um was geht es darin?"
„Um eine neue, wichtige Erfindung, mehr darf ich nicht sagen. Etwa um 15 Uhr bringt der Mann die Akte wieder zurück. Eigentlich muss ich die Dokumente immer sofort 20 in den Tresorraum zurücklegen, aber diesmal ... äh ... äh ..."
„Diesmal vergessen Sie es?"
„Ja. Ich lasse die Akte hier auf dem Schreibtisch liegen! Als ich heute Morgen ins Büro komme, fällt es mir wie- 25 der ein. Aber der Tisch ist leer. Die Akte ist weg."
„Vielleicht ist sie doch im Tresorraum? Vielleicht im falschen Regal? So etwas kommt vor!"
Walter Dessauer schüttelt den Kopf.

„Sie ist nicht da. Übermorgen braucht Herr Langbein die
Akte wieder. Dann kommt alles heraus, und ich verliere
meinen Job."

„Na, na! Jeder darf mal einen Fehler machen, oder?"

5 „Aber nicht, wenn man in einem High-Tech-Unternehmen
arbeitet und über 50 Jahre alt ist. Jetzt haben sie endlich
einen Grund, mir zu kündigen."

„Wer ist ‚sie'?"

„Na, die Firmenleitung. Und Frau Bremke wartet auch
10 schon lange darauf, dass ich einen Fehler mache."

„Frau Bremke? Wieso?"

„Sie macht meine Arbeit, wenn ich krank bin oder Ur-
laub habe. Ich weiß, dass sie meinen Job gerne ganz
übernehmen möchte." Dessauers Stimme klingt bitter.
15 Carsten Tsara seufzt.

„Ich versuche, Ihnen zu helfen. Aber ich brauche mehr
Informationen."

5

Das ‚Café König' liegt in einer kleinen Seitenstraße, nicht
weit von der Firma TECSUP entfernt. Am Vormittag ist

hier nicht viel los. Carsten Tsara und Walter Dessauer sind die einzigen Gäste.

„Was darf ich den Herren bringen?", fragt der Ober, während er den Tisch abwischt. Der Detektiv bestellt ein Kännchen Kaffee, Dessauer eine Tasse Kamillentee. Als der Ober weg ist, holt Carsten Tsara einen Notizblock und einen Stift aus seiner Jackentasche.

„Ich brauche die Namen von allen Leuten, die Zugang zu Ihrem Büro haben."

Dessauer überlegt einen Moment.

„Eine Chipkarte für das elektronische Schloss haben außer mir die beiden Geschäftsführer, Herr Schmitz und Dr. Reichenbach. Frau Bremke hat ebenfalls eine, und eine weitere ist bei unserem Sicherheitsdienst. Ich glaube, das sind alle."

„Wer macht Ihr Büro sauber? Sie selbst?"

„Nein, natürlich nicht! Frau Stahl putzt jeden Dienstag- und Donnerstagabend. Aber sie hat keine eigene Karte. Während sie arbeitet, bekommt sie die vom Sicherheitsdienst."

Der Ober bringt die Getränke. Carsten Tsara macht sich Notizen. Er sieht nicht sehr zufrieden aus.

„Fällt Ihnen noch jemand ein?"

Walter Dessauer trinkt einen Schluck Kamillentee.

„Ja, richtig! Da ist noch dieser Mann von der Firma TELEMAT."

„TELEMAT?"

„Von denen sind unsere Telefone. Wenn damit etwas nicht in Ordnung ist, schicken sie den. Das kommt leider ziemlich oft vor."

„Gestern auch?"

„Ja, am späten Nachmittag, kurz vor fünf, glaube ich."

„Wie heißt der Mann?"

„Keine Ahnung!"

„Hm. Jetzt noch eine letzte Frage: Wie sieht die Akte eigentlich aus? Ist das ein Ordner?"

„Nein. Es sind nur acht einzelne DIN-A4-Seiten."

6

5 Es ist elf Uhr. Carsten Tsara steht mal wieder im Stau. Woher kommen die vielen Leute mit ihren blöden Autos?, denkt er. Sind die alle arbeitslos oder was? Dann muss er grinsen. Schließlich sitzt er selbst auch in seinem Sportwagen, obwohl er nicht arbeitslos ist.
10 Sportwagen? Ein toller Sport, hier mit tausend anderen Autofahrern auf der Straße zu stehen! Jeder Fußgänger ist schneller.

Er tippt eine Nummer in sein Handy. Eine Frauenstimme meldet sich.

15 „TELEMAT AG Service-Center. Mein Name ist Lechner. Was kann ich für Sie tun?"

„Hier ist Carsten Tsara. Ich habe hier etwas, das einem

Ihrer Mitarbeiter gehört, und will es gerne zurückgeben. Leider kenne ich seinen Namen nicht. Ich weiß nur, dass er kommt, wenn unsere Telefonanlage nicht funktioniert. Können Sie mal im Computer nachsehen, Frau Lechner?" 5

„Gerne, Herr Tsara! Wenn Sie mir sagen, wann und wo ...?"

„Gestern zwischen 16 und 17 Uhr. Bei der Firma TECSUP."

„Einen Moment, bitte!" Im Telefon ist jetzt Musik zu hören und eine sanfte Frauenstimme wiederholt alle 10 zehn Sekunden: „Ihre Zufriedenheit ist unser Erfolg. Bitte haben Sie noch einen Augenblick Geduld!"

Die Ampel schaltet auf Grün.

„Ihre Zufriedenheit ist unser Erfolg." Es geht einige Meter voran. Dann muss Carsten Tsara wieder bremsen. 15

„Bitte haben Sie noch einen Augenblick Geduld!" Wenn das so weitergeht, dauert es Stunden, bis er wieder im Büro ist.

„Ihre Zufriedenheit ist unser Erfolg. Bitte haben Sie noch einen Au ..." Die Musik stoppt. 20

„Herr Tsara? Hören Sie?"

„Ja?"

„Unser Mitarbeiter heißt Markus Beisel und wohnt in der Lilienstraße 31. Im Moment arbeitet er auf einer Baustelle in der Bayerstraße 58." 25

„Sie sind sehr erfolgreich, Frau Lechner!"

„Wie bitte?"

„Naja: Ich bin sehr zufrieden mit Ihnen!"

„Äh ... was? Ich verstehe Sie nicht."

„Ach, vergessen Sie es! Vielen Dank für Ihre Hilfe! 30 Tschüs!"

Die richtigen Beziehungen sind für den Erfolg genauso wichtig wie Fleiß und Talent. Wie gut, dass Carsten Tsaras bester Freund bei der Kriminalpolizei arbeitet! So hat der Detektiv schon einige Informationen in seinem
5 Computer, als Verena Müller um halb drei Uhr nachmittags sein Büro betritt.

„Na? Kommen Sie voran?"

„Es geht so."

Die rothaarige, etwas mollige Frau setzt sich auf Tsaras
10 Schreibtisch.

„Ich liebe gesprächige Männer!" Carsten Tsara hat keine Lust, über den Fall zu reden. Aber er weiß, dass seine Chefin keine Ruhe gibt, wenn sie etwas wissen will.

„Okay! Ich habe drei Theorien. Nummer eins: Morbus
15 Alzheimer …"

„Die Alzheimer-Krankheit? Wieso denn das?"

„Walter Dessauer scheint ziemlich vergesslich zu sein. Vielleicht liegt die Akte irgendwo, und er weiß es bloß nicht mehr."

20 „Quatsch! Walter ist nicht vergesslich!"

„Wieso kann er sich dann meinen Namen nicht merken? Warum sagt er dauernd ‚äh'?"

„Ich finde, in seiner Situation ist das völlig normal. Er ist im Stress!"

25 „Na gut. Dann bleiben noch die beiden anderen Theorien: Mobbing oder Diebstahl."

„Mobbing? Wer will ihn mobben?"

„Der Geschäftsführer findet ihn angeblich zu alt. Dann ist da noch diese junge, hübsche Frau, Anneliese Bremke.
30 Dessauer glaubt, dass sie seinen Job haben möchte."

„Und was glauben Sie?"

„Sie hat Zugang zum Büro. Für sie ist es also kein Problem, die Akte vom Schreibtisch zu nehmen."

„Hm. Und die Diebstahls-Theorie?" Carsten Tsara beginnt zu lächeln. 5

„Gucken Sie mal, was ich hier habe!", sagt er und dreht den Computermonitor so, dass Verena Müller hineinsehen kann.

Behördensache / Streng vertraulich!

Name:	B e i s e l, Markus Jonathan
Geboren:	12.05.1969 in Meppen
Beruf:	Fernmelde-Elektroniker
Adresse:	Anzinger Straße 1, 81671 München
Vorstrafen:	1997 Diebstahl; 1998 Diebstahl, Betrug

„Ein Krimineller. Na und? Was ist daran so interessant?"

„Der Mann wird von seiner Firma immer dann zur 10 TECSUP geschickt, wenn dort mit der Telefonanlage etwas nicht stimmt. Gestern ist er genau zu der Zeit in Dessauers Büro, als dort die Akte auf dem Schreibtisch liegt."

„Hm. Das heißt, er kommt als Täter in Frage. Nicht mehr 15 und nicht weniger. Was machen Sie nun?" Der Detektiv schaltet den Computer aus. Er öffnet seine Schreibtischschublade und holt einen Polizeiausweis heraus.

„Ich stelle diesem Herrn Beisel mal ein paar Fragen."

„Ein falscher Polizeiausweis? Was soll denn das, Tsara?" 20

„Er sieht sehr echt aus. Finden Sie nicht?"

Die Baustelle in der Bayerstraße ist sehr groß. Carsten Tsara sucht schon seit einer halben Stunde nach einem Parkplatz für seinen roten Sportwagen. Schließlich gibt er es auf und stellt das Auto direkt neben der Baustelle 5 ins Halteverbot.

,Hier entstehen 200 Appartement-Büros', liest er auf einem riesigen Schild. Er schüttelt den Kopf.

„Büros, Büros! Wir brauchen keine Büros! Wir brauchen Parkplätze!"

10 Auf der Baustelle ist es sehr laut. Carsten Tsara muss schreien, damit man ihn versteht.

„Entschuldigen Sie! Können Sie mir sagen, wo ich Herrn Beisel finde?"

„Beisel?" Der Arbeiter schüttelt den Kopf. „Kenne ich 15 nicht."

„Seine Firma sagt, dass er hier ist."

„Welche Firma?"

„TELEMAT."

„Ach so! Da hinten."

20 „Danke!" Tsara geht etwa hundert Meter weiter. In diesem Teil des Neubaus ist es viel ruhiger. Die Büros sind schon fast fertig. Im dritten Raum sieht er einen Mann, der am Boden kniet und eine Telefonanlage an der Wand installiert. Das Alter könnte stimmen. Sein 25 Gesicht wirkt ängstlich und weich.

„Herr Beisel?" Der Mann blickt auf.

„Ja?" Carsten Tsara hält den Dienstausweis hoch.

„Kriminalpolizei. Mein Name ist Carsten Tsara. Ich möchte von Ihnen die Akte zurück. Haben Sie sie zu 30 Hause oder hier?"

Markus Beisel springt auf.

„Welche Akte? Ich habe keine Akte. Ich weiß gar nicht, wovon Sie reden!"

„Ach! Wirklich nicht?"

„Nein!"

Dieses Nein klingt ehrlich, findet Carsten Tsara.

„Erzählen Sie mir von gestern Nachmittag. Von Ihrer Arbeit bei der TECSUP."

„Da gibt es nicht viel zu erzählen. Ein kaputtes Telefon, zehn Minuten Reparatur, fertig. Das ist alles."

„Und die acht Blatt Papier auf dem Schreibtisch?"

„Welches Papier? Ich weiß nichts davon. Was ist denn so interessant daran?"

„Ich stelle die Fragen!", sagt Tsara streng. Aber er ist jetzt sicher: Markus Beisel hat die Akte nicht.

„Weiß Ihr Arbeitgeber eigentlich von Ihren Vorstrafen?"

Der Mann wird blass. Seine Hand beginnt zu zittern. Er will antworten, aber Carsten Tsara ist schneller.

„Schon gut. Sie reden mit niemandem über die Sache und bleiben in der Stadt. Wenn Sie tun, was ich sage, erfährt die TELEMAT nichts, verstanden?"

Markus Beisel nickt erleichtert.

Als Carsten Tsara kurz danach zu seinem Auto zurückkommt, beginnt er zu schimpfen. Der Wagen ist voll Staub. Er sieht nicht mehr glänzend und rot aus, sondern grau. Und eine Polizistin schreibt gerade seine Autonummer auf.

„Moment! Moment! Ich fahre schon weg!", ruft er. Die Polizistin schüttelt lächelnd den Kopf und gibt ihm den Strafzettel.

„25 Euro? Wahnsinn! Für diesen Preis kann ich ja mit dem Taxi fahren! Geht es nicht etwas billiger?" Aber die Frau steht schon beim nächsten Auto. Das Handy des Detektivs beginnt zu piepsen. Walter Dessauer ruft an.

Er klingt sehr aufgeregt.

„Kommen Sie bitte schnell ins ‚Café König'! Es ist dringend!"

„Okay! Es ist kurz nach fünf. In einer Viertelstunde bin
ich bei Ihnen!"

9

Um viertel nach sechs Uhr betritt Carsten Tsara das ‚Café König'. Walter Dessauer sieht ihn und winkt aufgeregt.

„Endlich! Wo bleiben Sie denn so lange?"

„In der Stadt ist mal wieder ein Wahnsinnsverkehr! Ein
Stau nach dem anderen."

„Warum fahren Sie nicht mit dem Bus oder der U-Bahn? Ich zum Beispiel ..."

„Ja, ja, ja!", ruft Tsara genervt. „Das weiß ich alles selbst! Kommen Sie bitte zur Sache! Was ist eigentlich los?"

Dessauer öffnet seine Aktentasche. Er holt ein schmutzi-ges und feuchtes Blatt Papier heraus und legt es auf den Tisch.

„Stellen Sie sich vor! Ich gehe vorhin zum Bus, um nach Hause zu fahren. Und was liegt neben der Haltestelle im
Gras? Eines der acht Blätter!" Tsara beugt sich über das Papier. Es ist voll technischer Formeln, von denen er nichts versteht.

„Sind Sie sicher, dass das zu der Akte gehört?"

„Hundertprozentig!"

„Benutzen Sie diese Bushaltestelle jeden Tag?"

„Ja."

Der Detektiv lehnt sich zurück und sieht dem älteren Mann ins Gesicht.

„Wissen Sie, was ich glaube?" Dessauer blickt ihn fragend an. Mit seiner dicken Brille sieht er aus wie ein großer, trauriger Frosch, findet Tsara. „Ich glaube, Sie haben ein Problem mit Ihrem Kopf. Sie vergessen immer mehr Dinge. Sie vergessen, eine Akte in den Tresorraum 5 zu bringen. Sie nehmen sie aus Versehen mit nach Hause. An der Bushaltestelle verlieren Sie eines der Blätter. Und die übrigen sieben sind in Ihrer Wohnung. Was sagen Sie zu dieser Theorie, Herr Dessauer?"

„Ich sage, dass mir Ihre Chefin leid tut", antwortet 10 Dessauer ruhig.

„Wieso?", fragt Carsten Tsara erstaunt.

„Wie viele Detektive arbeiten bei der Firma Müller?"

„Mit mir sind es sieben."

„Und Sie sollen der Beste sein? Arme Verena!" Dessauer 15 nimmt das Blatt vom Tisch und dreht es um. Auf der Rückseite steht in dicker schwarzer Schrift eine Zahl.

„Ist Ihnen klar, was das bedeutet?" Dessauer tippt mit seinem Zeigefinger auf die Zahl. „Er will hunderttausend Euro!" 20

„Wer will hunderttausend Euro?"

„Der Erpresser. Er gibt ein Blatt zurück und beweist damit, dass er die anderen sieben wirklich hat."

„Eine Erpressung? Aber wie und wann will der Täter das Geld bekommen? Davon steht hier nichts." 25

„Er meldet sich bestimmt noch mal."

„Hm ..." Tsara nimmt das Blatt vorsichtig an einer Ecke und sieht es sich genau an.

„Sind Sie jetzt böse auf mich?", fragt Dessauer.

„Nein, gar nicht! Sie haben ja recht. Ich muss mir die 30 Dinge genauer ansehen. Ich nehme das Blatt mit. Einverstanden?"

Um 22 Uhr sind Münchens Straßen endlich frei genug für Carsten Tsaras Sportwagen. Der Detektiv hat Lust auf Gummibärchen.

Grund genug, schnell mal zur Tankstelle zu fahren? Drei
5 Kilometer wegen einer Tüte Süßigkeiten?

Nein, nein, nicht nur deswegen! Ich muss ja sowieso tanken. Der Wagen verbraucht wirklich sehr viel Benzin!

Kein Wunder, bei den vielen Staus!

Man kann auch U-Bahn oder Bus fahren.

10 Ich weiß. Aber ich muss über meine Arbeit nachdenken, und das geht im Auto viel besser. Also: Markus Beisel hat mit der Sache nichts zu tun, da bin ich sicher. Walter Dessauer leidet nicht an der Alzheimer-Krankheit, das ist auch klar. Es bleiben Frau Bremke und die Putzfrau.

15 Frau Bremke hat ein Motiv: Sie will Dessauers Job. Aber was soll die Zahl 100000 auf der Rückseite des Blattes? Will sie den Job und noch 100000 Euro dazu? Kann das wirklich sein?

Und diese Frau Stahl? Warum soll eine Putzfrau eine
20 Akte mitnehmen?

Carsten Tsara achtet nicht auf das Tempo. Er fährt 80 Stundenkilometer, obwohl nur 50 erlaubt sind. Ein Blitzlicht am Straßenrand reißt ihn aus seinen Gedanken.

Eine Geschwindigkeitskontrolle! So ein Pech! Das wird teuer! 5

11

Am nächsten Morgen regnet es. Das Wohnhaus im Münchner Stadtteil Pasing ist alt und hässlich. Das Treppenhaus ist schmutzig, die Briefkästen sind kaputt. Im vierten Stock findet Carsten Tsara den Namen 10 „Stahl". Er klingelt. Es dauert eine Weile, bis ein kleines Mädchen die Tür öffnet. Sie guckt den fremden Mann neugierig an.

„Hallo! Wer bist du?", fragt sie.

„Ich bin Carsten. Und du?" 15

„Ich bin Stefanie. Ich bin schon fünf Jahre alt!"

„Aha! Ist deine Mama auch zu Hause, Stefanie?"

Aus einem Zimmer kommt eine junge Frau. Sie hat dunkles Haar wie ihre Tochter.

„Steffi! Du sollst doch die Tür nicht aufmachen! Was gibt es denn?"

5 Carsten Tsara zeigt ihr den Polizeiausweis.

„Kann ich Sie einen Augenblick sprechen, Frau Stahl?"

„Muss das sein? Ich will gleich ins Krankenhaus, meine Mutter besuchen."

„O je! Ich mache es kurz. Okay?"

10 Die Frau nickt. Sie gehen in die Küche. Die Wohnung ist sauber und ordentlich.

„Nehmen Sie Platz. Worum geht es?"

„Sie arbeiten als Putzfrau bei der Firma TECSUP?"

„Seit mehr als sieben Jahren. Jeden Dienstag und Don-
15 nerstag von 19 bis 21 Uhr mache ich die Chefetage sauber. "

„Beschreiben Sie Ihre Arbeit. Was tun Sie genau?"

Sie lacht erstaunt.

„Ist das ein Quiz oder wollen Sie Raumpfleger werden?"

20 „Weder noch. Beantworten Sie bitte nur meine Frage."

„Na ja, ich putze die Toilette, die Teeküche, dann wische ich auf den Möbeln Staub. Zuerst in dem kleinen Büro und dann im großen."

„Sie meinen: zuerst bei Walter Dessauer und dann bei
25 der Geschäftsführung?"

„Genau. Und am Schluss mache ich die Böden."

„Okay. Kommen wir jetzt zum letzten Dienstag."

„Vorgestern?"

„Genau. Denken Sie bitte gut nach! Liegen am Dienstag-
30 abend auf dem Tisch von Herrn Dessauer Akten oder ist er leer? Es ist wichtig!"

Frau Stahl schließt die Augen. Es dauert ein paar Sekun-

20

den. Dann sagt sie mit fester Stimme:

„Auf dem Schreibtisch ist gar nichts, weder Stifte noch Akten. Das weiß ich genau. Ich bin immer froh, wenn nichts darauf liegt. Dann bin ich schneller fertig."

„Aha. Was macht eigentlich Stefanies Vater?"

„Weiß ich nicht!" Die Stimme der jungen Frau wird lauter. „Ich weiß nicht mal, wo er wohnt. Das ist mir auch egal. Ich brauche ihn nicht! Stefanie und meine Mutter genügen mir völlig."

„Wissen Sie eigentlich, wie wertvoll die Akten in Dessauers Büro sind?" Frau Stahl springt auf.

„Jetzt reicht es!", ruft sie. „Verlassen Sie meine Wohnung!" Tsara geht zur Tür.

„Verstehen Sie mich bitte nicht falsch. Ich muss Ihnen diese Fragen stellen ..."

„Raus!"

Stefanie kommt aus ihrem Zimmer.

„Muss Carsten schon gehen, Mami? Schade! Hier, das ist für dich!" Sie gibt Tsara ein buntes Bild.

„Kannst du aber schön malen! Danke, Steffi! Auf Wiedersehen, Frau Stahl!"

Die Frau schließt die Tür, ohne seinen Gruß zu erwidern.

12

Carsten Tsara sitzt in seinem Auto. Im dichten Berufsverkehr kommt er nur langsam voran. Er denkt über das Gespräch mit Frau Stahl nach. Sie hat es nicht einfach. Sie arbeitet hart und verdient wenig Geld. Sie muss sich

allein um ihre kleine Tochter kümmern. Niemand hilft ihr außer ihrer Mutter. Aber die liegt nun im Krankenhaus. Und dann kommt auch noch ein Detektiv mit einem falschen Polizeiausweis und stellt unangenehme
5 Fragen! Manchmal macht sein Beruf keinen Spaß. Aber wenigstens weiß er jetzt, wer die Akte hat.

Frau Bremkes Wohnung liegt im vornehmen Stadtteil Bogenhausen. Carsten Tsara parkt vor einem großen eleganten Haus. Auf dem goldenen Türschild im Parterre
10 steht ‚Anneliese Bremke'. Der Detektiv legt sein Ohr an die Tür. In der Wohnung ist es völlig still. Natürlich! Frau Bremke ist in der Arbeit. Sie kommt frühestens in fünf Stunden nach Hause.

Tsara holt einen Schraubenzieher aus seiner Hosen-
15 tasche. Wenige Sekunden später ist die Tür offen.

Durch einen Flur kommt er in ein großes Wohnzimmer. Er blickt sich um. Die Möbel sehen schick und teuer aus. Zu teuer für eine Angestellte, findet er.

Sieben Blatt Papier benötigen nicht viel Platz. Die Akte
20 kann fast überall sein. Aber Carsten Tsara hat es nicht eilig. Er beginnt im Wohnzimmer mit seiner Suche. Er blickt unter das Sofa und hinter die Bilder an der Wand. Nichts. Er sucht unter dem Fernsehgerät und im Bücherregal. Wieder nichts. Als er die Schreibtischschublade
25 öffnet, hört er hinter sich ein Geräusch. Er dreht sich um. Der Schlag trifft ihn am Kinn. Er fällt zu Boden. Vor seinen Augen tanzen Sterne. Zwischen den Sternen sieht er einen großen nackten Mann mit Rasierschaum im Gesicht.
30 „Oh, ich Idiot! Wie kann ich nur den Boxer vergessen!",
denkt er, während der Mann zum nächsten Schlag ausholt.

„Wenn der mich noch einmal trifft, bin ich k. o.!"
Der Mann springt auf ihn los. Tsara schafft es, sich blitz-
schnell zur Seite zu drehen. Der Boxer schlägt daneben.
Sein Schwung ist so groß, dass er hinfällt und mit dem
Kopf gegen einen schweren Glastisch stößt. Er bleibt 5
bewusstlos am Boden liegen.
„Siehst du, das kommt davon, wenn man arme kleine
Detektive schlägt!", schimpft Carsten Tsara und reibt
sich das Kinn. Ein Wunder, dass nach dem Schlag noch
alle Zähne in seinem Mund sind. Aber sein Auto- 10
schlüssel und das Handy liegen am Boden. Daneben eine
kleine Kinderzeichnung. Richtig, das Geschenk von
Stefanie! Wie hübsch! Ein Haus mit Schornstein und
Rauch ...
Carsten Tsara hört in seinem Kopf die leise Stimme von 15
Walter Dessauer: „Und Sie sollen der Beste sein? Arme
Verena!" Dann hört er seine eigene Stimme: „Sie haben
ja recht. Ich muss mir die Dinge genauer ansehen."

Diesmal öffnet Frau Stahl selbst. Als sie den Detektiv sieht, will sie die Tür sofort wieder schließen. Aber Carsten Tsara reicht ihr einen Blumenstrauß mit roten und gelben Tulpen.

5 „Entschuldigen Sie meine Fragen von heute Morgen. Kann ich bitte noch mal mit Ihnen sprechen?" Der Agent winkt Stefanie zu, die neugierig aus ihrem Zimmer guckt. Stefanie grinst und winkt zurück. Helene Stahl bemerkt den dicken blauen Fleck in Tsaras Gesicht.

10 „Das sieht ja schlimm aus! Es gibt wohl noch mehr Leute, die Ihre Fragen nicht mögen, was?"

„Sehr witzig! Wie geht es Ihrer Mutter?"

„Viel besser, danke! Sie darf bald nach Hause."

„Na prima! Dann kommt Steffi wieder früher ins Bett!"

15 „Was?"

„Na ja: Sie müssen sie dann nicht mehr zum Putzen mitnehmen."

„Aber ... aber ... Woher wissen Sie ...?"

„Genau!", sagt das Mädchen. „Oma soll bald wieder-
20 kommen! Bei Mamas Arbeit ist es so langweilig!"

Carsten Tsara lacht.

„Zeigst du mir mal die tollen Bilder, die du malst, wenn deine Mama putzt?"

„Na klar!", sagt die Kleine. „Komm mit, Carsten!"

25 Sie nimmt den Agenten an die Hand und zieht ihn in ihr Zimmer. Dort gibt es eine Schachtel mit vielen bunten Zeichnungen.

„Guck mal: Auf dem Schornstein fehlt was!", sagt Carsten Tsara.

30 „Ja, das weiß ich!", sagt Stefanie. „Aber das Haus ist zu groß. Der Rauch passt oben nicht mehr hin! Der ist auf

einem anderen Papier." Sie beginnt, die Zeichnungen zu durchsuchen.

„Gib dir keine Mühe!", sagt Tsara. „Ich weiß, wo der Rauch ist!"

14

„Oh je, Sie Armer! Das sieht aber gar nicht gut aus!", sagt Walter Dessauer und deutet auf Carsten Tsaras Gesicht. Die linke Backe ist inzwischen grün und blau und fast doppelt so dick wie die rechte.

„Ach was! Berufsrisiko!", sagt Verena Müller. „In ein paar Tagen ist er wieder so schön wie vorher. Gell, Tsara? Aber jetzt erzählen Sie uns bitte die ganze Geschichte!"

„Die ist sehr kurz: Frau Stahls Mutter hat ein schwaches Herz. Deshalb verliert Herr Dessauer fast seinen Job. Ende!"

„Wie bitte?", rufen Verena Müller und Walter Dessauer. „Sie verstehen nicht? Dann muss ich etwas genauer erzählen. Frau Stahl erledigt den größten Teil ihrer Arbeit vormittags, während ihre Tochter Stefanie im Kindergarten ist. Nur bei TECSUP muss sie dienstags und donnerstags am Abend putzen. Normalerweise ist das kein Problem, weil Stefanies Oma auf die Kleine aufpasst. Leider wird die alte Dame letztes Wochenende plötzlich krank und muss ins Krankenhaus. Frau Stahl nimmt ihre Tochter also zur Arbeit mit. Damit es Stefanie nicht langweilig wird, hat sie Buntstifte und Papier dabei. Sie malt und malt. Auf einmal sind alle ihre Blätter voll. Sie blickt sich um und sieht die acht Blätter der Akte auf dem Schreibtisch liegen. Wahrscheinlich

mit der weißen Rückseite nach oben, nicht wahr, Herr
Dessauer? Ja? Na, sehen Sie! Wunderbares Malpapier!
Frau Stahl merkt nichts davon. Sobald sie mit der Arbeit
fertig ist, packt sie Stefanies Sachen zusammen und geht
5 mit ihrer Tochter zur Bushaltestelle, um nach Hause zu
fahren. Dort fällt eines der Blätter auf den Boden. Leider
ausgerechnet das einzige, dessen Rückseite nicht sofort
als Kinderzeichnung zu erkennen ist. Sehen Sie?
Was wie die Zahl 100000 aussieht, ist in Wirklichkeit der
10 Rauch, der zu diesem Haus gehört."

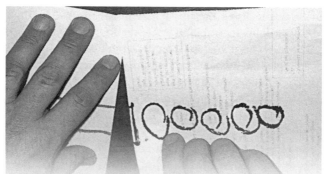

„Unglaublich!" Verena Müller und Walter Dessauer
schütteln die Köpfe.
„Tja, Diebstahl, Erpressung und Mobbing hält man für
völlig normale Erklärungen", sagt Carsten Tsara. „Eine
15 Kinderzeichnung erscheint uns dagegen als etwas Exo-
tisches. Ist das nicht sonderbar?"
„Ich muss mich bei Ihnen entschuldigen, Herr Tsara",
sagt Walter Dessauer und nimmt die Akte in die Hand.
„Sie sind als Detektiv doch nicht so schlecht!"
20 „Sei bloß still, Walter!", ruft Verena Müller. „Sonst will
er noch mehr Gehalt!"
Carsten Tsara deutet auf seine Backe.

„Über das Gehalt reden wir morgen. Jetzt muss ich los. Ich habe um 17 Uhr einen Arzttermin in der Nähe des Hauptbahnhofs." Verena Müller blickt auf ihre Armbanduhr. Sie schüttelt den Kopf.

„Es ist erst 16 Uhr. Sie brauchen zu Fuß nicht länger als zehn Minuten zum Hauptbahnhof!" Carsten Tsara versucht zu lächeln. Aber die Backe ist inzwischen zu dick. „Zu Fuß? Bin ich denn wahnsinnig?"

Worterklärungen

Kapitel 1

S. 3	ungeduldig	unruhig, weil man auf jemanden warten muss
	die Baustelle, -n	Ort, an dem ein Haus/eine Straße gebaut oder repariert wird
	der Stau, -s	viele Autos auf der Straße, die gar nicht oder nur sehr langsam fahren können
	ein dringender Auftrag	eine wichtige Aufgabe/Arbeit, die schnell gemacht werden muss
	das Dokument, -e	ein Blatt Papier mit (wichtigen) Informationen
S. 4	wütend	sehr böse, unzufrieden, sauer
	der Detektiv, -e	Person, die Verbrechen aufklärt; gehört nicht zur Polizei. Sherlock Holmes war ein berühmter Detektiv.

Kapitel 2

	der Wachmann, ⸚er	Mann, der am Eingang einer Firma sitzt und aufpasst
	der Metallzaun, ⸚e	eine Mauer aus Metall; wird um eine Firma, ein Haus herum aufgestellt, damit man nicht hinein kann
	unbemerkt	ohne dass es jemand merkt (sieht oder hört)
S. 5	die Detektei, -en	Detektivbüro; das Büro eines Detektivs

der Aufzug, ⸚e	Lift/Fahrstuhl; damit kann man in einem Haus nach oben oder unten fahren
die Geschäftsführung, -en	eine oder mehrere Personen, die eine Firma leiten
der Hersteller, -	Firma, die etwas produziert/baut/herstellt
stolz	sehr zufrieden mit sich
der Umsatz, ⸚e	das Geld, das eine Firma z.B. in einem Jahr verdient hat
lagern	an einem speziellen Platz liegen/stehen
der Stahl	sehr hartes Material **S. 6**
die Akte, -n	viele Papiere mit wichtigen Informationen
der Stapel, -	viele Sachen, z. B. Bücher/Akten, die aufeinander liegen
der Spion, -e	Person, die versucht, wichtige, geheime Informationen über eine Firma/ein Produkt ... zu stehlen
scheinbar	so wie es aussieht; es sieht so aus, aber es ist nicht wirklich so
erschrecken	plötzlich Angst bekommen

Kapitel 3

überprüfen	nachsehen, ob etwas in Ordnung ist
der Tresor, -e	Kasten aus dickem Metall, der wichtige Papiere/Geld/Schmuck ... vor Verbrechern schützt
zittern	kurze, schnelle Bewegungen (etwa der Hände), z. B. wenn man Angst hat oder friert

S. 7	das Boxen *(ohne Plural)*	
	eifersüchtig	wenn man Angst hat, dass der Mann / die Frau, den/die man liebt, eine andere Person liebt
	mitkriegen	merken

Kapitel 4

	streng geheim	sehr geheim; niemand darf die Informationen bekommen
	wertvoll	etwas hat großen Wert; man kann viel Geld damit verdienen
	die Erfindung, -en	etwas Neues, das sich eine Person ausgedacht hat; das Telefon ist z.B. die Erfindung von A. Graham Bell
S. 8	Dann kommt alles heraus.	Dann merkt jemand, dass die Akte weg ist.
	(jemandem) kündigen	jemanden entlassen; jemandem sagen, dass man seine Mitarbeit nicht mehr braucht
	einen Job übernehmen	eine Arbeit bekommen

Kapitel 5

S. 9	Zugang haben zu	die Möglichkeit haben, in ein Büro / ein Haus ... zu gehen, z. B. weil man einen Schlüssel hat
	das Schloss, ¨er	da hinein steckt man den Schlüssel, um eine Tür auf- oder zuzuschließen
	der Sicherheitsdienst, -e	Firma / Abteilung einer Firma, die sich um die Sicherheit von Gebäuden kümmert, damit dort niemand einbrechen kann

| der Ordner, - | feste Mappe für wichtige Papiere | **S. 10** |

Kapitel 6

grinsen	breit lächeln	
das Handy, -s	Mobiltelefon; Telefon, das man überallhin mitnehmen kann	
die Telefonanlage, -n	viele Telefone, die miteinander verbunden sind	**S. 11**
Geduld haben	nicht nervös werden, wenn etwas lange dauert	
bremsen	langsamer werden, anhalten	

Kapitel 7

die richtigen Beziehungen *(Plural)*	die richtigen Leute kennen	**S. 12**
der Fleiß *(ohne Plural)*	wenn man gerne viel arbeitet und alles ganz gut machen will	
das Talent, -e	etwas besonders gut können	
die Kriminalpolizei *(ohne Plural)*	Spezialpolizei, die Verbrecher (Mörder, Diebe usw.) sucht	
mollig	ein bisschen dick	
der Fall, ⁻e	allgemeine Bezeichnung für die Sache, die passiert ist und um die sich z. B. ein Detektiv oder ein Polizist kümmert	
keine Ruhe geben	nicht aufhören zu fragen	
die Theorie, -n	Vermutung/Idee, wie etwas passiert sein kann	
Alzheimer-Krankheit	Menschen mit dieser Krankheit vergessen viele Sachen/Namen usw., die sie vorher wussten	

im Stress sein	zu viel Arbeit und zu wenig Zeit haben
das Mobbing	einen Arbeitskollegen dauernd / immer wieder ärgern und schlecht behandeln
der Diebstahl, ⸚e	Stehlen/heimliches Wegnehmen von etwas, was einer anderen Person gehört
S. 13 die Behörde, -n	staatliche Dienststelle/Institution, z. B. die Polizei, das Arbeitsamt
die Behördensache, -n	Sache, die nur ein paar Leute wissen sollen, die in der Behörde arbeiten
streng vertraulich	sehr geheim; wichtige Informationen, die nur die Behörde wissen darf
der Fernmelde-Elektroniker, –	Person, die Telefone einbaut und repariert
die Vorstrafe, -n	staatliche Strafe, die jemand schon früher bekommen hat
der Betrug *(ohne Plural)*	absichtliche Täuschung eines anderen, wenn man z. B. jemandem etwas für viel Geld verkauft, was aber nur wenig Geld wert ist
der/die Kriminelle, -(n)	Person, die etwas tut oder getan hat, was gegen das Gesetz ist, z. B. ein Dieb, ein Mörder, ein Betrüger
der Täter, –	Person, die etwas Kriminelles getan hat
als Täter in Frage kommen	vielleicht der Täter sein

Kapitel 8

S. 14 (etwas) aufgeben	mit etwas aufhören, weil man weiß, dass es keinen Sinn hat weiterzumachen
das Schild, -er	Tafel mit einer Aufschrift oder einem Bild

knien

wirken	aussehen	
klingen	sich anhören, so scheinen als ob	**S. 15**
ehrlich	wahr, nicht gelogen	
streng	hart, mit Autorität, ernst	
der Arbeitgeber, -	Firma, bei der eine Person arbeitet	
blass	weiß im Gesicht	
erfahren	eine Information bekommen	
erleichtert	nicht mehr so ängstlich, ein bisschen fröhlicher	
der Strafzettel, -	so ein Papier bekommt man von der Polizei, wenn man falsch parkt; dann muss man Geld als Strafe bezahlen	
piepsen	klingeln, läuten	

Kapitel 9

zur Sache kommen	über die wichtigen Dinge sprechen	**S. 16**
feucht	ein bisschen nass	
die Formel, -n	Darstellung einer schwierigen Sache mit Buchstaben, Zahlen und Symbolen; H_2O ist z. B. die chemische Formel für Wasser	
eine Bushaltestelle benutzen	an dieser Haltestelle in den Bus einsteigen oder aussteigen	
der Frosch, ̈e		**S. 17**
aus Versehen	ohne es zu merken; nicht absichtlich	
die übrigen sieben	die restlichen/anderen sieben	
klar sein	wissen	

| der Erpresser, - | Person, die etwas gestohlen hat und für die Rückgabe Geld haben will |
| beweisen | ganz klar zeigen |

Kapitel 10

S. 18	das Gummibärchen, -	etwas Süßes wie ein weiches Bonbon in Form eines kleinen Teddybären
	mit einer Sache nichts zu tun haben	unschuldig sein, nichts Böses getan haben
	die Putzfrau, -en	Frau, die bei anderen Leuten oder in einer Firma sauber macht
	das Motiv, -e	Grund für ein Verbrechen / eine Tat
S. 19	das Blitzlicht, -er	kurzes, starkes Licht, wenn man fotografiert
	jemanden aus seinen Gedanken reißen	jemanden wieder aufmerksam und konzentriert machen
	die Geschwindigkeits-kontrolle, -n	die Polizei prüft/kontrolliert, ob die Leute zu schnell fahren

Kapitel 11

	das Treppenhaus, ⸚er	der Teil eines Haus, in dem die Treppen zu den Stockwerken/ Etagen sind
	einen Augenblick	kurz
S. 20	das Quiz, -	Ratespiel
	der Raumpfleger, -	Person, die für andere Leute oder in einer Firma putzt
	die Böden machen	die Böden putzen
	Kommen wir jetzt zu ...	Sprechen wir jetzt über ...
S. 21	genügen	genug sein, alles haben, was man braucht

Jetzt reicht es!	Das ist genug! Ich will nichts mehr hören!
verlassen	hinausgehen
einen Gruß erwidern	auch „Auf Wiedersehen" sagen

Kapitel 12

sich um die Tochter kümmern	für die Tochter alles tun, was sie braucht	**S. 22**
angenehm	schön	
vornehm	elegant, gut, teuer	
im Parterre	Erdgeschoss; unten in einem Haus	
der Schraubenzieher, -	ein Werkzeug, mit dem man Schrauben hinein- oder herausdrehen kann	
benötigen	brauchen	
das Geräusch, -e	alles, was man hören kann	
das Kinn, -e	der unterste Teil des Gesichts	
Er holt zum nächsten Schlag aus	Er will noch einmal zuschlagen	
bewusstlos	k.o.; wie tot; ohne Reaktion	**S. 23**

der Rauch *(ohne Plural)*

der Schornstein, -e

Kapitel 13

der Agent, -en	hier: anderes Wort für Detektiv	**S. 24**
der blaue Fleck, die blauen Flecken	den bekommt man auf der Haut, wenn man geschlagen wird oder sich an etwas Hartem stößt	
die Schachtel, -n	kleiner Kasten, in den man etwas hineinlegen kann	

35

Kapitel 14

S. 25	die Backe, -n	Teil des Gesichts, rechts und links von Nase und Mund
	erledigen	fertig machen
S. 26	die Rückseite, -n	hintere Seite von einem Blatt Papier/einem Buch ...
	die Kinderzeich-nung, -en	Bild, das ein Kind gemalt/gezeichnet hat
	Unglaublich!	Das kann doch nicht wahr sein! Das kann ich nicht glauben!
	etwas Exotisches	etwas ganz Besonderes
	sonderbar	seltsam, komisch, nicht normal
	das Gehalt, ¨er	das Geld, das man von seiner Firma für seine Arbeit bekommt

Aufgaben zum Text

Richtig oder falsch? Kreuzen Sie an.

a Frau Müller ist die Chefin von Carsten Tsara.

b Carsten Tsara kommt eine Stunde zu spät.

c Carsten Tsara fährt nie Auto.

d Frau Müller hat einen Führerschein.

e Bei TECSUP sind wichtige Papiere weg.

A Kreuzen Sie an. Was bedeutet ...?

> *„Nicht mal eine Maus kann hier unbemerkt hinein
> oder heraus.“ (S. 4)*

a Es gibt keine Mäuse bei TECSUP.

b Der Wachmann passt mithilfe von Videokameras auf,
dass keine Maus ins Haus kommt.

c Jeder Besucher wird am Eingang von Videokameras
gefilmt.

**B Wie sieht
Walter Dessauer aus?
Zeichnen Sie ein Bild.**

C Das ist bisher passiert. Bringen Sie die Sätze in die richtige Reihenfolge.

☐ Herr Dessauer erklärt Tsara, was „Technische Dokumentation" bedeutet.

☐ Die Männer fahren mit dem Aufzug in die oberste Etage.

☐ Die Männer hören eine Frauenstimme im Büro.

☐ Herr Dessauer öffnet die Tür zu seinem Büro mit einer Chipkarte.

1 Carsten Tsara meldet seinen Besuch am Eingang von TECSUP an.

☐ Herr Dessauer zeigt Tsara den Tresorraum mit den Maschinenplänen und der Software.

☐ Herr Dessauer holt Carsten Tsara ab und begrüßt ihn.

Kapitel 3 und 4

A Was erfahren Sie über Frau Bremke? Machen Sie Notizen.

Alter	
Aussehen	
Freund	
Arbeit	

B Warum sagt Tsara zu Frau Bremke „(Ich komme) von der Firma Müller. Ich überprüfe die Sicherheit dieses Tresors."?

a Frau Bremke darf nicht wissen, dass die Dokumente weg sind. Also sagt er nicht die Wahrheit.

b Er macht einen Witz.

c Er möchte kontrollieren, wie sicher der Tresor wirklich ist.

C Was ist richtig? Kreuzen Sie an.

1. Was ist Dessauers Problem?

a Er hat Ärger mit dem Ingenieur Herrn Langbein.

b Er lässt eine wichtige Akte auf dem Schreibtisch liegen. Nun ist sie weg.

c Er möchte bei TECSUP kündigen.

2. Welchen Fehler macht Dessauer?

a Er legt die Akte nicht zurück in den Tresorraum.

b Er nimmt die Akte mit nach Hause.

c Er ist oft krank.

3. Wo ist die Akte jetzt?

a Sie liegt auf dem Schreibtisch in Dessauers Büro.

b Sie liegt im Tresorraum im falschen Regal.

c Dessauer weiß es nicht.

Kapitel 5

Welche Personen außer Dessauer haben Zugang zu seinem Büro?

1. _____   2. _____

3. _____   4. _____

5. _____   6. _____

A **Das ist bisher passiert. In welcher Reihenfolge und wo?**

a) im Auto b) in Dessauers Büro
c) im Café König d) in Frau Müllers Büro

Reihenfolge?	was?	wo?
	Tsara bekommt genaue Informationen von Dessauer und macht sich Notizen.	
1	Tsara bekommt einen neuen Auftrag: Wichtige Dokumente bei TESCUP sind weg.	*d*
	Tsara telefoniert mit Frau Lechner vom TELEMAT AG Service-Center.	
	Dessauer erklärt Tsara sein Problem. Plötzlich kommt Frau Bremke.	

B **Was glauben Sie: Was für ein Mensch ist Carsten Tsara? Ergänzen Sie seinen Steckbrief.**

Name:	**Carsten Tsara**
Alter:	
Wohnort:	**München**
Beruf:	
Familienstand:	
Kinder:	
Aussehen:	
Hobbys:	

C Verbinden Sie die Ihrer Meinung nach passenden Adjektive
mit dem Bild von Carsten Tsara.

intelligent   fröhlich   frech   witzig
    faul

sympathisch   sensibel
    schüchtern
dumm

spontan   sportlich
    langweilig

unfreundlich   unpünktlich

charmant   arrogant

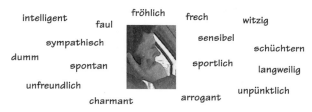

Kapitel 7

A Woher bekommt Carsten Tsara die Informationen über
Markus Beisel? Kreuzen Sie an.

a   Er recherchiert im Internet.

b   Seine Chefin hat gute Kontakte zu TELEMAT.

c   Sein bester Freund arbeitet bei der Kriminalpolizei
und hilft ihm.

B Kreuzen Sie an. Was bedeutet ...?

1. „*Es geht so.*" *(S. 12)*

a   Ja, sehr gut.

b   Ein bisschen.

c   Nein, überhaupt nicht.

2. „*..., dass seine Chefin keine Ruhe gibt, ...*" *(S. 12)*

a   Seine Chefin braucht keine Ruhe.

b   Seine Chefin hört nicht auf zu fragen.

c   Seine Chefin hat Stress.

3. „*Quatsch! ...*" *(S. 12)*

a   Das ist nicht wahr.

b   Das ist richtig.

c   Vielleicht.

4. „..., er kommt als Täter in Frage." *(S. 13)*

a Die Frage ist: Wer ist der Täter?

b Er ist der Täter.

c Es ist möglich, dass er der Täter ist.

C   Carsten Tsara hat drei Theorien im Fall TECSUP. Welche sind das?

1. _____

2. _____

3. _____

Kapitel 1-8

Sie wissen schon viel über die Personen. Was passt? Kreuzen Sie an.

	Carsten Tsara	Verena Müller	Walter Dessauer	Annliese Brenke	Markus Beisel	
1.						ist Fernmelde-Elektroniker bei TELEMAT.
2.						fährt nie mit Bus oder U-Bahn.
3.						hat Angst, seine Arbeit zu verlieren.
4.						ist mit einem Boxer befreundet.
5.						hat mehrere Vorstrafen.
6.						fährt einen roten Sportwagen.
7.						ist mit Walter Dessauer befreundet.
8.						hat einen Freund bei der Kriminalpolizei.
9.						leitet eine Detektei.
10.						arbeitet bei TECSUP in der Dokumentation.
11.						möchte Dessauers Job übernehmen.

Kapitel 9

A   Richtig oder falsch? Kreuzen Sie an.

- [a] Tsara kommt mit dem Bus, weil in der Stadt Stau ist.
- [b] Dessauer hat ein Blatt Papier von der Akte gefunden.
- [c] Tsara glaubt, dass die anderen Blätter in Dessauers Wohnung sind.
- [d] Dessauer glaubt, dass das Blatt von einem Erpresser kommt.
- [e] Der Erpresser hat angerufen und will sofort 100 000 Euro haben.

B   Warum sagt Dessauer: „Ich sage, dass mir Ihre Chefin leid tut."?

- [a] Weil er findet, dass sieben Detektive für eine Detektei zu wenig sind.
- [b] Weil er denkt, dass Tsara kein guter Detektiv ist.
- [c] Weil er Carsten Tsara unsympathisch findet.

Was glauben Sie: Wer ist der Täter?

- [ ] Frau Bremke
- [ ] Markus Beisel
- [ ] Frau Stahl
- [ ] eine andere Person

Warum? _____

_____

_____

Kapitel 11

A   Was erfahren Sie über Frau Stahl? Machen Sie Notizen.

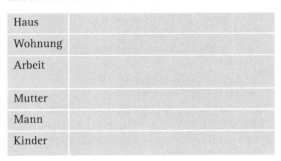

Haus	
Wohnung	
Arbeit	
Mutter	
Mann	
Kinder	

**B   Wie ist Frau Stahl zu Carsten Tsara?
Mehrere Antworten sind richtig.**

▮ unfreundlich	▮ neugierig	▮ höflich
▮ distanziert	▮ ironisch	▮ offen

Kapitel 12

**A   Was macht Tsara? Bringen Sie die Sätze in die richtige
Reihenfolge.**

▮ Er öffnet die Tür mit einem Schraubenzieher und sucht im Wohnzimmer nach der Akte.

▮ Tsara sieht sich die Zeichnung von Stefanie an und denkt daran, was Dessauer zu ihm gesagt hat.

▮ Ein fremder Mann schlägt ihn nieder.

▮ Er hört etwas und dreht sich um.

▮ Tsara fällt zu Boden.

▮ Tsara fährt zu der Wohnung von Frau Bremke.

▮ Der Mann will ihn noch mal schlagen, aber diesmal ist der Detektiv schneller.

B Schreiben Sie mit den Sätzen aus A einen Bericht für die Polizei.

Am Morgen fährt Tsara zu ... _____

Er ... _____

_____

Plötzlich ... _____

In dem Moment ... _____

Da ... _____

Der Mann ... _____

Zum Schluss ... _____

_____

Kapitel 13 und 14

A Was sagt wer (X) zu wem (○)? Tragen Sie ein.

	Tsara	Frau Stahl	Stefanie	Frau Müller	Dessauer	
1.	X	○				Kann ich bitte noch mal mit Ihnen sprechen?
2.						Es gibt wohl noch mehr Leute, die Ihre Fragen nicht mögen, was?
3.						Bei Mamas Arbeit ist es so langweilig.
4.						Komm mit, Carsten.
5.						Guck mal: Auf dem Schornstein fehlt was.
6.						Der Rauch passt oben nicht mehr hin.
7.						Gib dir keine Mühe. Ich weiß, wo der Rauch ist.
8.						Oh je, Sie Armer! Das sieht aber gar nicht gut aus.
9.						Aber jetzt erzählen Sie uns bitte die ganze Geschichte.
10.						Ach was! Berufsrisiko!

B   Welche Sätze gehören zusammen?

1 _C_   2 __   3 __   4 __   5 __   6 __

1	Stefanies Oma muss für ein paar Tage ins Krankenhaus,	A	weil alle anderen Blätter voll sind.
2	Helene Stahl nimmt Stefanie am Dienstagabend mit zur Arbeit,	B	aber in Wirklichkeit ist es der Rauch, der zu einem Haus auf einer anderen Zeichnung gehört.
3	Frau Stahl nimmt Buntstifte und Papier mit ins Büro,	C	weil sie Probleme mit dem Herzen hat.
4	Nach einiger Zeit malt Stefanie auf der weißen Rückseite der Aktenblätter weiter,	D	weil sie nach Hause fahren wollen.
5	Eine Zeichnung von Stefanie sieht aus wie die Zahl 100 000,	E	damit es für Stefanie nicht so langweilig ist und sie malen kann.
6	Nach der Arbeit packt Frau Stahl Stefanies Sachen zusammen und geht mit ihrer Tochter zur Bushaltestelle,	F	weil ihre Mutter nicht auf ihre Tochter aufpassen kann.

C   Lesen Sie die Kapitel 11 bis 14 noch einmal.
Wann weiß Tsara, wer die Akte hat?

Lösungen

1   a: richtig, b: falsch, c: falsch, d: richtig, e: richtig

2 A c

      C (von oben nach unten:) 5, 3, 7, 4, 1, 6, 2

3/4 A Alter: etwa 25
             Aussehen: schlank, blond, attraktiv
             Freund: ist Boxer, ist sehr eifersüchtig
             Arbeit: arbeitet bei TECSUP, macht Dessauers
                        Arbeit, wenn er krank ist oder Urlaub hat,
                        möchte gern seinen Job übernehmen

      B a

      C 1:b, 2:a, 3:c

5   1. Herr Schmitz   2. Dr. Reichenbach
        3. Frau Bremke   4. Sicherheitsdienst
        5. Frau Stahl   6. Mann von der Firma TELEMAT

1–6 A 1. Tsara bekommt einen neuen Auftrag: Wichtige
           Dokumente bei TESCUP sind weg.
           → d) (in Frau Müllers Büro)
         2. Dessauer erklärt Tsara sein Problem. Plötzlich
           kommt Frau Bremke. → b) (in Dessauers Büro)
         3. Tsara bekommt genaue Informationen von Des-
           sauer und macht sich Notizen. → c) im Café König
         4. Tsara telefoniert mit Frau Lechner von TELEMAT.
           → a) (im Auto)

      B freie Lösung

      C freie Lösung

7 A c

      B 1:b, 2:b, 3:a, 4:c

      C 1. Alzheimer: Walter Dessauer ist vergesslich. Er
                      weiß nicht mehr, wo die Akte liegt.
         2. Mobbing: Frau Bremke möchte den Job von Des-
                      sauer haben und nimmt die Akte weg.
         3. Diebstahl: Markus Beisel von TELEMAT hat die
                      Akte gestohlen.

1–8	Carsten Tsara: 2, 6, 8	Verena Müller: 7, 9
	Walter Dessauer: 3, 10	Anneliese Bremke: 4, 11
	Markus Beisel: 1, 5	

9   A   a: falsch, b: richtig, c: richtig, d: richtig, e: falsch
         B   b

1–10   freie Lösung

11   A

Haus:	in Pasing (München), alt, hässlich, Treppenhaus schmutzig
Wohnung:	sauber, ordentlich
Arbeit:	seit mehr als sieben Jahren Putzfrau bei TECSUP, Dienstag und Donnerstag 19 bis 21 Uhr, Chefetage
Mutter:	ist im Krankenhaus
Mann:	kein Kontakt zu dem Vater von Stefanie
Kinder:	Tochter Stefanie, 5 Jahre

         B   unfreundlich, distanziert, ironisch

12   A   (von oben nach unten:) 2, 7, 4, 3, 5, 1, 6

         B   Am Morgen fährt Tsara zu der Wohnung von Frau Bremke. Er öffnet die Tür mit einem Schraubenzieher und sucht im Wohnzimmer nach der Akte. Plötzlich hört er etwas und dreht sich um. In dem Moment schlägt ihn ein fremder Mann nieder. Da fällt Tsara zu Boden. Der Mann will ihn noch mal schlagen, aber diesmal ist der Detektiv schneller. Zum Schluss sieht sich Tsara die Zeichnung von Stefanie an und denkt daran, was Dessauer zu ihm gesagt hat.

13/14   A

2. Frau Stahl → Tsara	3. Stefanie → Tsara
4. Stefanie → Tsara	5. Tsara → Stefanie
6. Stefanie → Tsara	7. Tsara → Stefanie
8. Dessauer → Tsara	9. Frau Müller → Tsara
10. Frau Müller → Dessauer und Tsara	

         B   1C, 2F, 3E, 4A, 5B, 6D

         C   In Abschnitt 12, als er sich die Zeichnung von Stefanie genau ansieht.